BLANCHE-NEIGE
ET LA
MAGIC FROG

Tip
TONGUE

DES ROMANS QUI PASSENT PETIT À PETIT EN ANGLAIS

Avec Tip Tongue, lire de l'anglais devient naturel

Dans cette collection, accompagne des héros aux caractères attachants dans des histoires inattendues... et découvre le plaisir de lire et de comprendre l'anglais.

Tip Tongue, c'est un voyage en immersion

Le héros, un jeune Français comme toi, vit une aventure aux côtés de personnes qui parlent... anglais! Pas de panique, tu n'auras pas besoin de dictionnaire, les personnages te guideront.

Tip Tongue, c'est aussi un site Internet

www.tiptongue.u–bordeaux–montaigne.fr
Ce site te propose des lexiques illustrés, des exercices de compréhension, et plein de jeux amusants...

(site réalisé par l'UFR Langues et civilisations étrangères de l'Université Bordeaux-Montaigne).

Tip Tongue se décline en trois niveaux

• **A1 introductif : « Mes premiers pas en anglais »**
À partir de 8-9 ans (CE2-CM1)

• **A1 découverte : «Je découvre l'anglais »**
À partir de 10-11 ans (CM2-6ᵉ)

• **A2 intermédiaire : « J'ai commencé l'anglais »**
À partir de 12-13 ans (5ᵉ-4ᵉ)

Découvre les titres Tip Tongue en audio-book

Parce que l'anglais est aussi agréable à écouter, tu peux télécharger chaque histoire gratuitement en version intégrale audio MP3.

En partenariat avec l'UFR Langues et Civilisations
Université Bordeaux-Montaigne.

www.tiptongue.u-bordeaux-montaigne.fr

Illustrations de Julien Castanié

ISBN : 978-2-74-851706-4
© 2015 Éditions SYROS, Sejer,
25, avenue Pierre-de-Coubertin, 75013 Paris

STÉPHANIE BENSON

Blanche-Neige et la Magic Frog

SYROS

CHAPTER ONE

The Mirror

Il était une fois, dans un royaume lointain mais proche, une belle jeune femme qui n'avait pas d'enfants, ce qui la rendait très triste. Sur les conseils d'une copine, elle consulta un médecin qui lui dit de manger une pomme par jour. Il lui donna également une potion magique, mais ça, il ne faut pas l'ébruiter, parce que les médecins ne sont pas censés faire de la magie.

Sur le chemin du retour, la jeune femme trébucha sur une branche d'ébène et tomba à genoux dans la neige. Quand elle se releva, elle vit trois gouttes de sang rouge sur la neige blanche à côté de la branche noire.

— Je voudrais que mon bébé ait la peau blanche comme la neige, les cheveux noirs comme l'ébène, et les lèvres rouges comme le sang, dit-elle en avalant la potion magique.

Neuf mois plus tard, une jolie petite fille vint au monde. Elle correspondait exactement à cette description, et sa mère l'appela Rouge Noire. Heureusement, en allant à la mairie, le jeune père, fasciné par la peau si blanche de sa belle petite fille, l'enregistra sous le nom de Blanche-Neige.

Par malheur, la jeune maman tomba malade et mourut, et un jour son mari se remaria. Sa nouvelle femme, Queenie, qui venait d'une contrée lointaine appelée Angleterre, était très, très belle, et pas exactement sympathique. Elle possédait un immense miroir qu'elle avait fait accrocher au mur de sa chambre et dans lequel elle ne cessait de s'admirer.

Une nuit d'été, alors qu'elle lisait dans son lit un livre sur les animaux – elle voulait devenir vétérinaire –, Blanche-Neige se releva pour aller boire un verre d'eau fraîche. En passant devant la chambre de sa belle-mère, elle entendit une voix. Elle n'avait pas l'habitude d'écouter aux portes – son père lui avait dit et répété que ce n'était pas poli –, pourtant quelque chose dans cette voix l'attira. C'était bien la voix de Queenie, mais que disait-elle ? Des mots que Blanche-Neige n'avait jamais entendus. Comme une formule magique. Blanche-Neige se pencha et regarda par le trou de la serrure.

Debout devant son miroir, Queenie murmurait :

– Mirror, mirror on the wall,
   Who is the fairest of them all?

Qu'est-ce que cela voulait dire ? Blanche-Neige poursuivit son chemin, intriguée.

CHAPTER TWO

The Frog

Le lendemain matin, Blanche-Neige n'était pas plus avancée. Après son petit déjeuner, elle sortit dans le jardin et alla se promener du côté du bassin que son père avait fait creuser tout au fond, près du saule pleureur, et dans lequel il y avait des poissons rouges et des grenouilles. Tout en marchant, elle répétait les mots étranges prononcés par Queenie :

– Mirror, mirror on the wall,

Who is the fairest of them all?

Comment allait-elle parvenir à comprendre toute seule le sens de cette mystérieuse formule ? Si son père avait été là, elle lui aurait posé la question, mais il était pilote d'avion : il partait parfois très loin et ne pouvait pas facilement répondre au téléphone. Pendant ses absences, Queenie et Blanche-Neige vivaient chacune sa vie, parce que Blanche-Neige avait très vite compris que sa belle-mère n'aimait pas les enfants. En tout cas, pas les filles. Inutile de dire que Blanche-Neige était folle de joie quand son père rentrait !

Bon, revenons à ces mots étranges. Mirror, mirror...

Soudain, elle s'arrêta et se frappa le front du plat de la main. Mais bien sûr !

Queenie s'adressait à son miroir. Elle l'appelait « mirror ». Donc « mirror » voulait dire « miroir », les deux mots étaient quasiment identiques !

Oui, mais que disait-elle à son miroir ?

— On the wall, répéta Blanche-Neige en goûtant la sensation des mots étranges dans sa bouche. Mirror, mirror on the wall.

Le miroir était très grand, se dit la jeune fille. Peut-être que « on the wall » voulait dire « très grand » ou « le très grand » puisqu'il y avait trois mots. Mais la suite ? Who is the fairest ?

Elle avait beau réfléchir, Blanche-Neige ne trouvait pas. Arrivée devant le bassin, elle se pencha au-dessus de l'eau. La surface lui renvoyait son image à la façon d'un miroir.

— Miroir, mon beau miroir, comment fait-on pour comprendre des mots venus d'une contrée lointaine appelée Angleterre? demanda-t-elle en se regardant dans l'eau. (Après tout, si sa belle-mère posait des questions à son miroir, pourquoi ne pas faire de même devant sa propre image reflétée par l'eau du bassin?)

– On regarde dans un dictionnaire anglais-français, répondit une voix.

Blanche-Neige sursauta et approcha son visage de son reflet qui, lui semblait-il, venait de parler!

– Non, non, ce n'est pas ton image, c'est moi, reprit la voix.

La jeune fille tourna la tête et vit, sur le rebord du bassin, une toute petite grenouille verte et rouge.

– Et je te donnerai quelques indices de plus, affirma la grenouille. Le son « who » s'écrit w.h.o., et « the », t.h.e., et parfois tu pourras deviner toute une phrase à partir d'un ou deux mots seulement. En anglais, ce sont les voyelles qui se prononcent autrement qu'en français, alors concentre-toi sur les consonnes pour chercher les mots dans le dictionnaire, et tu devrais y arriver.

Puis la grenouille sauta dans l'eau et disparut.

CHAPTER THREE

The Dictionary

Blanche-Neige se rendit devant la bibliothèque que son père avait fait installer, et chercha l'étagère des dictionnaires. C'était tout en haut. Pas étonnant qu'elle ne s'en serve pas souvent !

Elle attrapa le volume marqué *dictionnaire anglais-français* et se mit à chercher.

Elle commença par vérifier son hypothèse concernant le mot « mirror ».

Première consonne, « m »... Gagné !
C'était bien « miroir ». Avançons, se dit
Blanche-Neige qui se sentait encouragée.

– Mirror, mirror on the wall, répéta-
t-elle pour se remettre la phrase en
tête.

« On », c'était facile, voulait dire « sur »
ou « dessus ». Miroir, miroir dessus...
« The », « article défini ». Blanche-Neige
fronça les sourcils. C'était quoi, un
article défini ? Passons. « Wall », « mur ».
Donc... Miroir, miroir, sur le mur ! Elle
poursuivit :

– Who is the fairest of them all?
« Who », « qui ». « Is », « est ». « The fairest », « le » ou « la plus jolie ». Donc
« the » signifiait « le » ou « la ». Qui est le
ou la plus jolie... « Of », « de ». « Them »,
« eux » ou « elles ». « All », « tous » ou
« toutes ».

Blanche-Neige comprit. Queenie véri-
fiait qu'elle était la plus jolie de toutes.
La jeune fille soupira. Sa belle-mère
n'avait pas beaucoup d'inquiétude à se
faire pour ça. Elle était vraiment très belle !

En tout cas, Blanche-Neige était fière
du travail accompli. Elle avait réussi toute
seule (ou presque) à déchiffrer la langue
de Queenie. Quand son père rentrerait,
il serait impressionné. Tout à coup,
Blanche-Neige eut envie d'entendre et de
comprendre d'autres mots. Elle décida
qu'elle retournerait en cachette écouter
sa belle-mère ce soir-là. Elle était impa-
tiente d'en apprendre davantage !

Bien sûr, son père lui avait toujours dit
qu'il n'était pas poli d'écouter aux portes.
Blanche-Neige soupira :

– D'accord, papa, ce n'est pas poli, mais
c'est pour la bonne cause. Je suis en train

d'apprendre la langue d'une contrée lointaine appelée Angleterre, et quand tu rentreras, tu seras très, très fier de moi.

Ainsi réconciliée avec elle-même, Blanche-Neige partit jouer dans le jardin.

CHAPTER FOUR

The Hypothesis

La nuit venue, Blanche-Neige sortit de sa chambre et longea le couloir sur la pointe des pieds. Arrivée devant la chambre de sa belle-mère, elle se pencha pour regarder par le trou de la serrure et attendit. Bientôt, face à son miroir, Queenie demanda :

– Mirror, mirror on the wall,
   Who is the fairest of them all?

Je sais ce que ça veut dire, pensa la jeune fille, et elle ressentit une profonde satisfaction. Mais à peine Queenie avait-elle posé sa question qu'une autre voix se fit entendre. Une voix profonde et très, très étrange, qui semblait venir du miroir lui-même. La voix disait :

— You, my lady fair and tall,

You are the fairest of them all.

Blanche-Neige regagna aussitôt sa chambre, alluma sa lampe de bureau et se mit à feuilleter le dictionnaire. « You, you, you »… « Vous ». Ou « tu ». « My, my, my »… « Mon ». Ou « ma ». « Lady, lady, lady »… « Dame ». Vous, ma dame.

« Fair » ressemblait beaucoup à « fair-est » mais sans les trois dernières lettres. Et comme « fairest » voulait dire « le plus joli », elle aurait parié que « fair » signi-fiait « joli », ce qui n'avait rien, mais rien à voir avec le verbe français « faire », même si ça y ressemblait beaucoup. Parfait, parfait. « And », « et », « tall », « grand ».

Blanche-Neige récapitula. La voix étrange avait répondu : « Vous, ma dame, jolie et grande. » Le reste, elle le devina d'un coup. C'était pratiquement la même phrase que la question posée par Queenie. Le miroir avait affirmé : « Vous êtes la plus jolie de toutes. »

Quel drôle de dialogue ! se dit Blanche-Neige en se glissant dans son lit. Sa belle-mère conversait avec son miroir. Ça alors ! Qui avait jamais vu ça, un miroir capable de parler ? Et pourtant, c'était bien l'impression qu'elle avait eue.

– Bon, décida Blanche-Neige, demain soir, j'irai de nouveau écouter à la porte, oui, je sais, cela ne se fait pas, désolée, papa, c'est simplement pour en avoir le cœur net.

CHAPTER FIVE

The Problem

Le lendemain soir, Blanche-Neige se posta devant la porte de la chambre de Queenie. Comme la veille, elle entendit sa belle-mère s'adresser au miroir :

– Mirror, mirror on the wall,

Who is the fairest of them all?

Blanche-Neige regarda par le trou de la serrure, et cette fois elle concentra toute son attention sur le miroir. Celui-ci renvoyait l'image parfaite de Queenie. Mais soudain, l'image se troubla, comme si la surface du miroir était devenue liquide. C'était toujours plus ou moins le reflet de Queenie, mais déformée et sombre.

Queenie ne bougeait plus, elle attendait la réponse du miroir.

– You, my lady fair and tall... commença à chuchoter Blanche-Neige, qui ne doutait pas un instant de la réponse.

Pourtant, quand le miroir se décida enfin à parler, il déclara cette fois :

– Fairest you were, my lady tall,

But now Snow White is fairest of all.

Blanche-Neige fronça les sourcils. Ce n'était pas du tout la même réponse que la veille ! Et, pour compliquer les choses, Queenie se mit à hurler :

– Snow White? Snow White fairest of all? Then I will kill Snow White!

Et elle frappa son miroir avec colère.

Blanche-Neige regagna sa chambre, alla s'asseoir à son bureau et ouvrit le dictionnaire. « Fairest », je connais. « You », c'est bon. « Were », verbe être, forme du passé, « étais, étions, étiez, étaient ».

La jeune fille soupira. Ce dictionnaire n'était pas toujours très clair.

– Donc, si je résume, ça donne : Plus belle vous étiez, ma grande dame... Ou encore : Vous étiez la plus belle, ma grande dame.

« But », « mais ». « Now », « maintenant ». Mais maintenant Snow White est la plus belle de toutes.

Blanche-Neige se demanda qui pouvait bien être cette femme dont la beauté dépassait celle de Queenie. Une certaine Snow White. Elle devait être vraiment belle !

La jeune fille poursuivit son décryptage grâce au dictionnaire, puis se figea. « Kill », « tuer ». Queenie voulait tuer Snow White ?

Avec appréhension, elle commença à déchiffrer les deux derniers mots. « Snow », « neige ». « White », « blanche ». Blanche-Neige ferma le dictionnaire. Elle ne se sentait pas très bien. Elle venait de comprendre que celle que Queenie voulait tuer n'était autre qu'elle-même. Snow White, c'était elle.

CHAPTER SIX

Snow White Alone

Blanche-Neige mit quelques affaires indispensables dans un sac à dos et quitta sa maison au milieu de la nuit. Elle avait eu beau tourner le problème dans tous les sens, elle ne voyait pas quoi faire d'autre. Elle avait laissé un message à son père, où elle disait simplement qu'elle avait décidé de partir, parce qu'il ne voudrait jamais croire que Queenie avait l'intention de la tuer. En tout cas

Blanche-Neige n'allait pas rester là et prendre le risque de mourir. La question n'était pas tant s'il fallait ou non partir – il le fallait – mais où aller, une fois qu'elle serait partie.

Blanche-Neige était fille unique, sa maman n'était plus là pour la conseiller, elle n'avait pas beaucoup d'amis, et ceux qu'elle avait étaient en vacances à cette époque de l'année. Elle devrait se débrouiller toute seule.

Elle descendit dans le jardin, passa à côté du bassin, murmura un rapide « au revoir », déverrouilla le portillon du fond et pénétra dans la forêt.

Dans certaines histoires de Blanche-Neige, il est dit que la jeune fille a peur dans la forêt, mais en ce qui concerne notre Blanche-Neige, ce n'était pas vrai. Elle était surtout triste parce qu'elle ne savait pas quand elle reverrait son père, et une telle perspective n'aurait enchanté personne. Il faut ajouter à cela qu'elle voulait devenir vétérinaire et que ses études lui semblaient soudain très compromises.

Snow White, qui était une fille courageuse, sécha ses larmes et poursuivit son chemin. Après un certain temps, elle vit apparaître une petite maison toute mignonne avec un toit de chaume et des fleurs sur les rebords de fenêtres. Derrière les fenêtres, on devinait une lumière chaude et dansante, comme celle que projettent des bougies. Sur la porte était écrit *The Little House*. Et plus bas : *Please knock before entering*. « The », se dit Snow White, toujours cet article défini anglais. Car c'était bien, de nouveau, dans cette langue qu'étaient écrits les mots sur la porte.

— Je suis maudite, murmura la jeune fille. Où que j'aille, je dois me débrouiller dans cette langue étrangère. Qu'est-ce que ça veut dire encore ?

— Tu n'as pas ton téléphone portable ? demanda une voix provenant d'un pot de fleurs.

Blanche-Neige regarda de plus près. Quel ne fut pas son étonnement de découvrir la même petite grenouille rencontrée près du bassin chez son père ! Elle ouvrit la bouche pour lui demander ce qu'elle faisait là, mais la grenouille ne lui en laissa pas le temps.

— Traducteur automatique, dit-elle avant de sauter et de disparaître.

Blanche-Neige s'exécuta, sortit son téléphone, tapa *The Little House* dans le traducteur et appuya sur « traduire ». En un instant la traduction apparut :

« La petite maison ». Parfait, la petite maison s'appelait « La petite maison ». Et ensuite ? « S'il vous plaît, frappez avant d'entrer. »

Elle s'approcha de la porte et frappa. Personne ne répondit. Elle frappa de nouveau, puis poussa la porte et pénétra dans The Little House.

CHAPTER SEVEN

The Three Brothers

Dans le salon, assis dans des fauteuils autour d'une cheminée, trois tout petits hommes barbus, presque identiques, semblaient se disputer. C'est pour ça qu'ils ne l'avaient pas entendue. Snow White essaya de comprendre la raison de la dispute.

– Frogs are not princes, disait l'un des trois frères. Frogs are frogs.

– Some frogs are not just frogs, dit un autre. Some frogs are princes.

– Some frogs are magic frogs, dit le troisième.

Snow White sortit de nouveau son téléphone portable. « Frog », « grenouille », lut-elle. « Are », « sont ». « Not », « ne pas ». « Prince » lui sembla plutôt évident, tellement ça ressemblait au français, mais elle vérifia quand même. Hé oui, elle avait raison. Quelle drôle de discussion ! Bien sûr que les grenouilles n'étaient pas des princes ! En tant que future vétérinaire, elle se devait bien de leur donner un avis scientifique :

– Frogs are not princes, affirma-t-elle. Frogs are not magic. Frogs are frogs.

Les trois frères se retournèrent comme un seul homme.

– Who are you? demanda le premier.

– Yes, who are you? You're beautiful, soupira le deuxième en la regardant avec admiration.

– Yes, who are you? Can you cook? interrogea le troisième en regardant d'un air désolé le bol de radis posé devant eux.

À présent, Snow White savait que « who » voulait dire « qui » et « you », « tu ». Comme le premier frère la regardait, elle en déduisit qu'il lui demandait qui elle était. Elle pointa un doigt vers sa poitrine et dit :

– Snow White.

Puis, pour connaître leurs noms, elle demanda à son tour :

– Who are you?

– We are the three brothers, dirent-ils en chœur.

– I'm Bob, répondit the first brother. Hello, Snow White.

– I'm Nob, replied the second brother. Hello, Snow White.

– I'm Hob, replied the third brother. Hello, Snow White.

– Hello Bob, Nob, Hob, said Snow White.

– Can you cook? asked Hob en montrant de nouveau les radis.

Snow White entra le mot dans son téléphone. « Cook », « cuisiner ». Elle supposa donc qu'il lui demandait si elle savait cuisiner.

– I can cook, said Snow White en s'aidant du traducteur électronique.

Ça tombait bien, son père lui avait appris toutes sortes de recettes délicieuses depuis qu'elle était toute petite. Elle leur confectionnerait un repas dont ils se souviendraient !

Alors les trois frères lui montrèrent la cuisine sans plus attendre.

CHAPTER EIGHT

The Wicked Queenie

Dans les placards de la cuisine, Snow White trouva tous les ingrédients dont elle avait besoin, même si les récipients portaient des noms étranges. La farine s'appelait « flour », les œufs « eggs », le sucre « sugar », le beurre « butter », et le lait « milk ». Dans un panier marqué « apples », elle trouva des pommes, et dans un autre appelé « mushrooms », des champignons. Il y avait une croûte de pain sec dans un sac appelé « bread ». Elle prépara donc une tarte aux pommes, une soupe aux champignons et du pain frais. Lorsqu'ils eurent fini de manger, les trois frères se tournèrent vers Snow White.

– Thank you, Snow White, dit Bob pour la remercier. Where are you from? he asked.

– Thank you Snow White, said Nob. Why are you here? he asked.

– Thank you Snow White, said Hob. What's the problem? he asked.

Si Snow White comprenait que les frères, après l'avoir remerciée, lui posaient des questions, elle ne saisissait pas le sens des mots – sauf pour « problem », qui ressemblait beaucoup au français.

Les trois frères l'aidèrent à épeler les mots, et elle comprit alors qu'ils

demandaient d'où elle venait, « where »
voulant dire « où », pourquoi elle était
là, « why » voulant dire « pourquoi », et
quel était le problème, « what » signi-
fiant « quel » ou « quoi ». Elle chercha
comment répondre, et lut à voix haute
chaque mot qu'elle trouva dans le
traducteur :

– I… am… from… house… beyond (« au-
delà de »)… forest, dit-elle pour expliquer
d'où elle venait.

Les frères hochèrent la tête.

– I am here… because (« parce que »)
wicked (« méchante »)… Queenie… says…
she… kill me… dit-elle pour expliquer
pourquoi elle était là.

Les frères équarquillèrent les yeux.

– Queenie says she kill me because…
I'm… fairest of them all, dit-elle pour
expliquer que sa méchante belle-mère

voulait la tuer parce qu'elle était la plus belle.

– The wicked Queenie wants to kill her because she's the fairest of them all, Bob repeated.

– No problem, said Hob. You can stay here and cook.

Snow White reprit son téléphone. Elle avait compris que ce n'était pas un problème. « Stay here » signifiait « rester ici ». Elle pouvait rester chez les trois frères et leur faire la cuisine. C'était gentil de leur part, mais elle voulait devenir vétérinaire, pas cuisinière. Que faire ?

CHAPTER NINE

The Old Woman

Le lendemain matin, les trois frères durent retourner à leur travail. D'après ce que Snow White avait compris, ils étaient bijoutiers. Ils sculptaient des pierres précieuses pour faire des bijoux. Ils lui dirent au revoir avant de se mettre en chemin.

– Goodbye, Snow White, said Bob.

– Goodbye, Snow White, said Nob.

– Goodbye, Snow White, said Hob.

– Goodbye Bob, Nob, Hob, said Snow White.

The three brothers partirent en sifflotant, et la jeune fille se retrouva toute seule. Elle se rendit dans la salle de bains, à la recherche d'un miroir. Peut-être que la petite grenouille pourrait l'aider de nouveau.

– Mirror, mirror on the wall, commença-t-elle, très fière de s'adresser au miroir dans cette nouvelle langue...

– I'm here! dit une voix.

Le miroir n'avait pas bougé mais sur le rebord du lavabo se tenait la petite grenouille.

– Premier conseil, tu ne dois pas manger de pomme, surtout si elle t'est présentée par une vieille femme pleine de boutons, commença la grenouille.

Mais à cet instant, Snow White entendit quelqu'un frapper à la porte. Elle se précipita pour voir qui était là, et découvrit une vieille dame avec un foulard sur la tête et de grosses lunettes sur le nez.

– My lady! I'm hungry! Can I have an apple?

Snow White comprit que la vieille femme l'appelait « Ma dame ». Elle se dépêcha de taper les mots dans son téléphone et apprit que la vieille femme avait faim (« hungry ») et qu'elle voulait une pomme (« apple »). La grenouille lui avait dit de ne pas en manger elle-même, mais il n'y avait pas de danger à donner une de ses pommes à cette pauvre vieille (qui n'avait pas de boutons). Elle alla en chercher une dans la cuisine et la lui tendit.

– Thank you, said the old woman. Here, have this present. A credit card. So you can buy a ticket and join your father.

Pour la remercier, la vieille femme lui offrait une carte de crédit qui lui permettrait d'acheter un billet d'avion et de rejoindre son père ? C'était vraiment le cadeau parfait !

– Thank you! said Snow White, et elle commença à sortir la carte de crédit de son étui.

CHAPTER TEN

The Dead Princess

Alors il se passa quelque chose de très étrange. La jeune fille se sentit tomber sans qu'elle puisse résister. Elle se retrouva étendue sur le sol, tandis que la vieille femme enlevait son foulard et ses lunettes. C'était Queenie !

– I killed Snow White! said the wicked Queenie. I killed Snow White! She's not the fairest of them all! She's dead!

But Snow White was not dead. Elle avait entendu – et compris – chaque mot ! Elle était en vie... mais incapable de bouger. Elle ne pouvait même plus fermer les yeux. Elle resta ainsi devant la maison, tandis que le soleil montait au zénith puis redescendait de l'autre côté. Enfin, elle entendit les voix de ses trois amis :

– Who's that? asked Bob.

– That's Snow White, answered Nob.

– What's the problem? asked Hob.

Snow White pouvait les entendre, elle pouvait les voir quand ils s'approchaient d'elle, mais elle n'avait aucun moyen de le leur faire savoir. C'était horrible !

– She's dead, answered Bob, et une grosse larme roula sur sa joue.

– The wicked Queenie killed her, said Nob.

– That's terrible, said Hob.

– Let's make a bed, said Bob.

Snow White ne comprit pas ce que Bob avait dit, mais elle vit les frères fabriquer un lit de branches d'arbre et se dit que « bed » devait signifier « lit ».

– It's not beautiful, said Nob. Let's put roses on the bed.

Elle les vit recouvrir le lit de pétales de roses. Il était bien plus beau à présent.

– Let's put Snow White on the bed, said Hob.

Elle les sentit la soulever pour la poser sur le lit.

– I'm so sad, said Nob, et il fondit en larmes tellement il était triste.

– I'm hungry, said Hob. Who will cook now?

Snow White aurait beaucoup aimé pouvoir faire la cuisine à ce moment-là. Mais elle ne pouvait plus rien faire du tout.

CHAPTER ELEVEN

The Magic Frog

Le lendemain matin, les trois frères partirent au travail mais, au lieu de siffler, ils pleuraient. Snow White aurait bien pleuré aussi, mais elle ne pouvait même pas verser une larme. Le soleil monta au zénith et redescendit de l'autre côté. Soudain, Snow White vit, juste devant son nez, la petite grenouille verte et rouge qui l'avait aidée à parler anglais.

– Eh bien, bravo ! dit la grenouille. Je t'aide à anticiper le danger que tu cours, je te dis de te méfier des vieilles femmes, et tu réussis quand même à te faire tuer ! Qu'est-ce qu'on va faire de toi ?

Mais Snow White ne pouvait pas dire un mot.

Soudain, la grenouille tourna la tête, comme si elle avait entendu un bruit, et s'éloigna en quelques bonds vers les bois. En effet, les trois frères rentraient à la maison. Ils se précipitèrent vers le lit de roses.

– She's still dead, said Bob.

– She's still on this bed, said Hob.

– With roses as beautiful as she is, said Nob.

– Yes, said a voice. It's a beautiful bed, and Snow White is beautiful too, but she's not dead.

C'était la voix de la grenouille !

— This is a poisoned credit card, said the frog en s'approchant d'eux. It's from the wicked Queenie.

Bob retira la carte de crédit de la main de Snow White, et la jeune fille put immédiatement s'asseoir.

— Thank you Frog, said Bob, Nob and Hob pour remercier la grenouille.

— Are you a magic frog? asked Nob.

— Are you a prince? asked Hob.

— Are you here to marry Snow White? asked Bob.

Snow White se leva. Elle était beaucoup plus grande que les trois frères, sans parler de la grenouille. Il fallait tout de suite mettre fin à ces histoires de mariage et de prince. Elle alla chercher son téléphone portable. « Vétérinaire », « vet ».

Pour une fois, c'était beaucoup plus simple en anglais.

– I don't want to marry a frog. I want to be a vet, she said.

– But this frog is a prince, said Hob en montrant la grenouille.

– I don't want to marry a frog, and I don't want to marry a prince, insisted Snow White. I want to... (elle chercha le mot pour « devenir ») become a vet. And I want my father.

Suddenly, the frog disappeared.

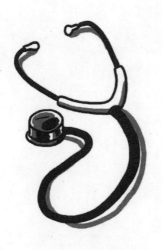

CHAPTER TWELVE

Three Presents

Snow White phoned her father. This time, her father answered the phone.

– I want to be a vet, said Snow White. I don't want to be in the house with Queenie. She wants to kill me because I'm the fairest of them all.

– Then you will go to school to become a vet, said her father.

Later, when Snow White finished school and became a vet, Bob, Nob and Hob came to give presents to her.

Bob gave her an emerald frog because she had seen a magic frog.

– This is an emerald frog, said Bob. Because you have seen a magic frog.

Nob gave her a ruby rose because the brothers had made a bed of roses.

– This is a ruby rose, said Nob. Because we made you a bed of roses.

Hob gave her a diamond apple because he loved the apple pie she cooked.

– This is a diamond apple, he said. Because I love the apple pie you cooked.

– Thank you all, said Snow White.

– Now will you marry me, Snow White? asked a familiar voice. Now you're a vet?

There was a mirror on the wall, and a

person near the mirror. The person had a voice like the magic frog.

– That magic frog *was* a prince, said Hob.

They were all very happy. But one person was not very happy.

The wicked Queenie was not very happy. She was not the fairest of them all. Snow White's father had divorced her.

Snow White was the fairest of them all. And she was a vet. And she married the Prince. And they all lived happily ever after.

L'auteur

Stéphanie Benson est née à Londres en 1959. Arrivée en France en 1981, elle publie son premier roman pour adultes en 1995, puis se lance dans le roman policier jeunesse aux éditions Syros (*L'Inconnue dans la maison*, *La Disparue de la 6ᵉ B*, *Une Épine dans le pied*, *Shooting Star*...).

Aujourd'hui auteur de plus de cinquante romans pour petits et grands (dont la série *Epicur* au Seuil), elle écrit également des nouvelles, de la poésie, ainsi que des pièces de théâtre dont des pièces radiophoniques pour France Inter et France Culture, et des scénarios pour la télévision.

Parallèlement à sa vie d'auteur, elle est maître de conférences en anglais et didactique à l'université Bordeaux-Montaigne.

«MES PREMIERS PAS EN ANGLAIS»/CE2-CM1

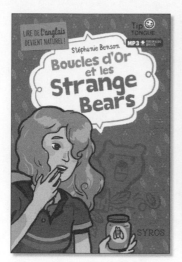

Pour lire et écouter un extrait :
http://tiptongue.syros.fr

« JE DÉCOUVRE L'ANGLAIS »/CM2-6ᵉ

Pour lire et écouter un extrait :
http://tiptongue.syros.fr

« J'AI COMMENCÉ L'ANGLAIS »/5e-4e

Pour lire et écouter un extrait :
http://tiptongue.syros.fr

Loi n° 49-956 du 16 juillet 1949
sur les publications destinées à la jeunesse,
modifiée par la loi n° 2011-525 du 17 mai 2011.

Mise en pages : DV Arts Graphiques à La Rochelle
N° éditeur : 10210042 – Dépôt légal : mai 2015
Achevé d'imprimer en mai 2015
par Jouve (53100, Mayenne, France).
N° d'impression : 2203234K